Ces Animaux qui se Ressemblent

Texte : Sylvie Bednar

Illustrations : Annick Mangard

casterman

Crédits photographiques

Shutterstock.com : 6 Kulikov ; 7 Ch. Baum ; 8 Suttipon Yakham ; 9 Tratong ;
10 Ethan Daniels ; 11 Vladislav Danilir ; 12 David Donhal ; 13 Kay Welfh ;
14 Neijia ; 15 Nutsiana ; 16 Lucasd ; 17 Volodmir Brudiak ; 18 Angel DiBilio ;
19 Pimleijen ; 20 Konstantin ; 21 Julius Kielaitis ; 22 Chuck Wagner ; 23 Janelle
Lugge ; 24 Leisuretime 70 ; 25 StudioSmart ; 28 Mogens Trolle ; 29 Geoffrey
Kuchera ; 30 Protasov AN ; 31 Chris Moody ; 32 Serguei Uryadnikov ;
33 Janelle Lugge ; 34 EcoPrint ; 35 Tom Reichner ; 36 CaptureLight ; 37 Jaco
Becker ; 38 Ilight Photo ; 39 Audrey Snider-Bell ; 40 Mary Terribery ;
41 Evantravel ; 42 Jo Crebbin ; 43 Tom Reichner ; 44 Paul S. Wolf ; 45 Shane
Gross ; 46 Koo ; 47 Florian Andronache ; 48 BMJ ; 49 Rheinold Leitner ;
50 Sylvie Bouchard ; 51 Dennis Molenaar ; 52 EcoPrint ; 53 Narchuk ;
54 Rob Hainer.
26 Leigh Bedford/Wikimedia Commons ; 27 James Greene/Orlando Weekly ;
55 cheloniophilie.com/Kevin Prahl

© Casterman 2015
www.casterman.com

ISBN 978-2-203-09017-0
N° édition : L.10EJDN001413.N001
Dépôt légal : mars 2015
D.2015/0053/177

Texte : Sylvie Bednar
Illustrations : Annick Mangard
Conception graphique : Isabelle Dumontaux

Imprimé en Slovénie en décembre 2014.

Sommaire

Monsieur hibou n'est pas chouette,

comme le pingouin n'est pas manchot !

-2

Comment reconnaître l'abeille de la guêpe, l'autruche
de l'émeu, la pieuvre du calamar ou bien encore
le coyote du chacal?

Certains animaux se ressemblent tellement qu'il est
parfois très compliqué de s'y retrouver. Pour
quelques-uns, leurs différences se voient comme
le nez au milieu de la figure, pour d'autres ce ne sont
que des détails.

Oui, mais lesquels?

Déjouons les apparences! Mettons-les face à face,
confrontons leurs signes distinctifs et, avec un peu
d'observation, il sera vraiment facile de les identifier.
Madame grenouille y gagnera son nom, plutôt que
de se faire appeler crapaud. Un peu de respect tout
de même envers chacune des espèces!

Les vingt-cinq couples d'animaux que l'on découvre
au fil des pages offrent un véritable tour du monde
faunistique.

En effet, certains d'entre eux que l'on imagine
si proches l'un de l'autre vivent parfois à chaque
bout de la planète et ne se rencontreront jamais…

Alors, bon voyage et ne les confondons plus!

OISEAU
ratite

90 à 150 kg
1,75 à 2,75 m
**Longévité :
env. 60 ans**

AUTRUCHE

Sa silhouette
Très grande, plus haute que l'émeu, l'autruche arbore un corps massif.

Son plumage
C'est à son plumage que l'on reconnaît sans faillir l'autruche mâle. Le corps est d'un beau noir luisant et porte un plumet très doux et vaporeux. La queue et les rémiges (les grandes plumes des bouts des ailes) sont blanches. Lorsqu'il fait sa cour, il ressemblerait presque à une danseuse en tutu ! La femelle, plus petite, est brun clair, sa queue et le bout de ses ailes sont blancs.

Les œufs les plus gros du monde
Le mâle creuse plusieurs cuvettes dans le sol afin que la femelle puisse venir y pondre ses œufs. Les œufs d'autruche sont les plus gros œufs d'oiseau au monde. Ils peuvent atteindre près de 2 kg chacun, ce qui équivaut à 40 œufs de poule !

Et encore

L'autruche tient pour habitude, lorsqu'elle veut se dissimuler, de se coucher et d'étirer son long cou sur le sol. Cette attitude aurait donné l'expression «faire l'autruche», qui signifie : refuser par faiblesse de voir le danger ou d'affronter la réalité.

Autruche d'Afrique

Son lieu de vie
On ne la trouve qu'en Afrique. Pourtant, à l'origine, l'autruche vivait en Europe du Sud et en Mongolie !

Ses pattes
L'autruche a de belles cuisses roses ou bleutées, toutes déplumées. Ses pattes puissantes sont adaptées à la vitesse. Elles se terminent par des pieds à deux doigts flexibles, contre trois chez l'émeu.

À table !
Nomade, elle fréquente les zones arides comme les savanes, plaines et prairies à la recherche de nourriture. Principalement herbivore, il lui arrive toutefois de se nourrir de petits reptiles !

Et encore

L'autruche est plus rapide que l'émeu. C'est aussi l'oiseau au monde le plus rapide à la course. Elle peut atteindre 70 km/h !

Deux doigts

OU ÉMEU ?

OISEAU
ratite

30 à 45 kg
1,50 à 2,00 m
**Longévité :
env. 15 ans**

*La première grande différence
entre ces deux oiseaux
de la famille des ratites est
que l'autruche est africaine
et l'émeu australien.*

Sa silhouette

Même allure, mais plus petit que l'autruche, mais pas loin de deux mètres tout de même, l'émeu est le deuxième plus grand oiseau au monde ! Hirsute, il a moins de panache que l'autruche mâle, il ressemblerait davantage à la femelle.

Son plumage

De couleur brun-gris, l'émeu se fond dans les paysages arides australiens. Ses plumes, de conception différente de celles de l'autruche, lui confèrent, lorsqu'il court, une allure de chevelure souple et légère. Cachées dans ce plumage bouffonnant, ses ailes sont alors à peine visibles.

Son lieu de vie

L'émeu ne vit qu'en Australie ! Nomade par obligation, c'est dans les bois clairs, les plaines arides et les déserts que ce ratite sillonne de grands territoires à la recherche de nourriture. Si elle y est abondante, il peut être sédentaire.

Les ratites

L'autruche, l'émeu, l'extraordinaire casoar, mais aussi le petit kiwi de Nouvelle-Zélande ou le nandou d'Amérique du Sud… forment ce groupe d'oiseaux coureurs qui ne volent plus depuis les temps anciens. Les ailes sont réduites et inaptes au vol. Ils sont dotés de puissantes pattes.

Émeu d'Australie

À table !

Graines, fruits, racines tendres et fleurs constituent son quotidien. Mais, omnivore de son état, l'émeu peut faire un excellent repas de sauterelles, coccinelles, chenilles ou fourmis !

Ses pattes

À l'inverse de l'autruche, les cuisses musclées de l'émeu sont emplumées. Les pattes à la peau grise sont terminées par trois doigts. Attention aux coups de pied, l'un de ses trois orteils est équipé d'une griffe acérée !

Trois doigts

MAMMIFÈRE
érinacéidé

450 à 700 gr

13 à 30 cm

**Longévité :
env. 7 ans**

HÉRISSON ou

Ces mammifères qui n'appartiennent pas à la même famille ont une chose en commun, des piquants… très piquants !

Sa silhouette

Plutôt courtaud, le hérisson est plus rond et plus petit que le porc-épic. Il paraît aussi beaucoup moins menaçant !

À table !

Tout est bon pour le petit hérisson !
Il se délecte d'une grande variétée de mets :
escargots, grenouilles ou crapauds, serpents et œufs d'oiseaux, carcasses d'animaux, champignons, herbes et racines, baies et courges, etc. Quel goulu !

Son lieu de vie

Le hérisson ne vit pas en Amérique comme le porc-épic, mais en Europe et dans certaines régions d'Asie et d'Afrique. On peut même l'apercevoir à la tombée de la nuit, dans son jardin !

Hérisson commun

Quel convive mal élevé !

Le hérisson mange bruyamment, comme un «cochon». Il s'énerve, grogne et envoie de la terre lorsqu'il cherche sa nourriture au sol, fait du bruit en fouillant dans les feuilles et en plus, il renifle !

Ses piquants

Les piquants qui recouvrent son dos sont très denses, bien plus courts et moins impressionnants que ceux du porc-épic.
Ils sont aussi moins nombreux (entre 5 000 à 7 000, tout de même) !
Tous les 18 mois, les piquants sont remplacés par d'autres, tout neufs !

Sa tête

La petite tête au long museau de cet insectivore ressemblerait plus à celle d'une musaraigne qu'à celle du porc-épic, qui est bien plus grosse et arrondie.

Ses pattes

Le hérisson a de courtes pattes griffues munies de cinq doigts qui ne lui permettent pas de grimper aux arbres.
Mais il est capable d'escalader des murets qui se trouveraient sur son chemin et peut parcourir près de trois kilomètres en une nuit !

Tout piquants dehors, le hérisson se défend contre les prédateurs en se roulant en boule.
Mais hélas ! Cela n'a aucun effet sur les voitures lorsqu'il se trouve sur les routes !

PORC-ÉPIC ?

MAMMIFÈRE
hystricidé

5 à 7 kg
54 à 84 cm
**Longévité :
env. 7 ans**

Sa silhouette

Le porc-épic est bien plus costaud mais aussi plus pataud que son compère hérisson. Il est plus haut sur pattes et sa queue est plus longue. Il prend, suivant les espèces et à cause de ses piquants, différentes physionomies.

Ses piquants

Mélangés à la fourrure, certains piquants orientables de ce grand rongeur peuvent mesurer jusqu'à 30 cm, alors que ceux du hérisson ne dépassent pas 3 cm. Les piquants de la queue de certaines espèces peuvent vibrer et émettre un bruit de grelot censé effrayer un ennemi potentiel !

À table !

Il se délecte de matières végétales. Pour certains, les racines, les bulbes, les fruits et les écorces sont leur quotidien. Pour d'autres, ce sont les feuilles et des tiges ou parfois des charognes.

À savoir

Il y a les porcs-épics de l'Ancien Monde (Afrique, Asie, Europe) comme ceux de Sumatra ou d'Afrique du Sud qui ne sont que terrestres (qui vivent sur le sol). Et les porcs-épics d'Amérique qui sont arboricoles (qui grimpent dans les arbres).

Sa tête

Si la tête du hérisson est toute fine, celle du porc-épic, au museau aplati, est plutôt grosse et ronde.

Porc-épic d'Afrique du Sud

Ouille ! Lorsqu'il se sent menacé, c'est à reculons que le porc-épic charge son ennemi jusqu'à le toucher. Les piquants aux pointes très acérées et garnies de petits ardillons, se détachant facilement, s'enfoncent dans la chair de l'agresseur et y resteront !

Et encore

Son lieu de vie

Contrairement aux hérissons, les porcs-épics ne vivent pas en Europe, mais dans les forêts ou les savanes d'Amérique, d'Afrique ou d'Asie. Certains grimpent dans les arbres.

CRUSTACÉ
décapode

150 gr à 12 kg

15 cm à 1 m

**Longévité :
plus de 20 ans**

*Ces deux crustacés
ne se ressemblent finalement pas
du tout; l'un vit en groupe,
l'autre joue les loups solitaires.*

Sa silhouette
Moins trapue et moins lisse que le homard,
la langouste, dont le nom vient du latin *locusta*
qui signifie sauterelle, est parfois surnommée
la «sauterelle des mers».

Sa tête
Elle est couverte de fortes épines
et de pics acérés d'où dépassent
deux petites cornes qui lui donnent
un air diabolique. À l'inverse
de celle du homard qui n'a pas
toutes ces aspérités.

*Grandes antennes
sensorielles*

Migration
Contrairement au solitaire
homard, les langoustes sont
grégaires (vivent en groupe).
Elles se déplacent parfois
en rassemblements d'une
cinquantaine d'individus en
se touchant les antennes des
unes et des autres et formant
une sorte de file indienne !

Ses antennes
La langouste possède deux très grandes antennes
sensorielles plus longues que son corps,
qui servent au toucher. Très utiles pour s'orienter
dans son milieu et éviter un éventuel ennemi !

Langouste commune

Ses pinces
Même si l'on dit que
les langoustes n'ont pas
de pinces, les femelles
possèdent malgré tout,
au bout de leur dernière
paire de pattes,
deux pinces…
ridiculement petites !

Sa couleur
Suivant l'espèce, elle nous en fait
voir de toutes les couleurs ! Rouge,
orange ou rayée de noir et blanc.
À pois jaune, noir, rose ou mixant
le bleu et le turquoise. Dame
langouste est bien plus chatoyante
que le homard !

À table !
La langouste qui ne possède pas de pinces pour
chasser et pour découper ses proies, comme le homard,
se nourrit de proies qui ne s'enfuient pas. Elle fait
bombance de mollusques, petits crustacés, oursins,
ou même d'algues. Des poissons, plus rarement.

OU HOMARD ?

CRUSTACÉ
décapode

700 gr à 19 kg
23 cm à 1,25 m
**Longévité :
jusqu'à 50 ans**

Sa silhouette

À cause de ses pinces, sa silhouette semble beaucoup plus massive que celle de la langouste, mais ce crustacé peut être aussi beaucoup plus lourd que sa congénère !

Sa couleur

Le bleu ou verdâtre marbré de jaune du homard permet aussi de faire la différence avec la flamboyante langouste.

À table !

À l'inverse de la langouste, le homard est un grand prédateur. À portée de ses pinces, tout un éventail d'invertébrés : crustacés (il adore les crabes), coquillages, étoiles de mer et poissons, oursins ! Quelques algues aussi.

Sa tête

La tête toute lisse du homard, caparaçonnée tel un heaume d'un chevalier du Moyen Âge, est à l'opposé de celle de la langouste, tout épineuse.

Crustacés

Du plus petit mesurant moins d'un millimètre, à l'araignée de mer géante du Japon de 3,80 m d'envergure, il existe plus de 40 000 espèces de crustacés. Presque tous ces invertébrés sont aquatiques et dominent largement le monde animal marin !

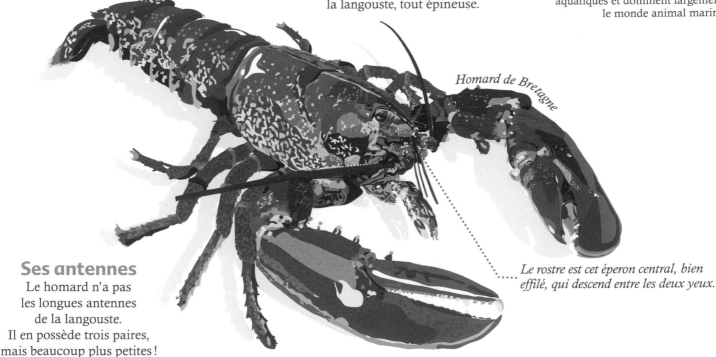

Homard de Bretagne

Le rostre est cet éperon central, bien effilé, qui descend entre les deux yeux.

Ses antennes

Le homard n'a pas les longues antennes de la langouste. Il en possède trois paires, mais beaucoup plus petites !

Ses pinces

Le homard possède des pinces qui ont chacune une spécialité ! La pince coupante, effilée, est munie de très nombreuses petites dents pointues, et la pince broyeuse ou « marteau », beaucoup plus épaisse, pourvue de quelques grosses dents, émoussées et irrégulières !

Le homard élit domicile dans les crevasses des rochers, mais il est aussi un terrassier infatigable. Fouisseur, il creuse dans la vase de véritables terriers aux nombreuses galeries où il attendra la nuit pour reprendre sa vie active.

Et encore

OISEAU
strigidé

45 à 600 gr
20 à 50 cm
Longévité :
15 à 20 ans

Elle chuinte, hue,
hôle, hulule

Strigidés

Cette famille d'oiseaux regroupe les rapaces plutôt nocturnes, aux serres puissantes et acérées, et au bec fort et crochu. Ce qui les caractérise, c'est une grosse tête et des yeux placés au centre de grands disques faciaux. Leur vol est parfaitement silencieux. Il en existe près de 200 espèces à travers le monde.

Son vol

Au cœur de la nuit, son vol est agile et silencieux car elle est dotée d'un plumage duveteux, très flexible, qui lui permet de se déplacer sans bruit.

Sa silhouette

Même si la forme générale de la chouette ressemble à s'y méprendre à celle du hibou, il est très aisé de faire la différence ! La chouette a une tête toute ronde. C'est principalement ce qui la distingue du hibou.

Chouette hulotte

La tête de la chouette pivote à 270° !

Sa vie active

Même si la chouette est un animal nocturne, chassant la nuit des petits rongeurs ou même des crapauds, elle se déplace aussi le jour contrairement au hibou.

À table !

Les petites chouettes se nourrissent surtout d'insectes, de criquets, de petits mammifères tel le campagnol, de lézards et de batraciens. Plus puissante, la hulotte chasse les rongeurs bien dodus, qu'elle gobe tout rond !

Les chouettes les plus connues sont la hulotte, la chevêche, l'effraie et l'harfang qui vit en Amérique du Nord et qui, en hiver, est blanche comme la neige.

ou HIBOU ?

OISEAU
strigidé

400 gr à 3 kg
30 à 70 cm
**Longévité :
20 à 30 ans**

Il ulule, hue
ou bouboule

Sa silhouette

Monsieur hibou à l'air bien moins aimable que madame chouette ! Deux aigrettes placées de chaque côté de sa tête lui donnent un air beaucoup plus sérieux et permettent de l'identifier aisément. On pourrait croire que ce sont deux oreilles dressées, mais ce n'est pas le cas.

Les aigrettes ressemblent à des oreilles ou à des cornes, mais ne sont ni l'une, ni l'autre !

Nocturnes, ces deux rapaces font entendre leurs cris jusqu'au bout de la nuit…

À table !

Il se nourrit de tout ce qui bouge… même beaucoup plus grand que lui ! Scarabées, lézards, serpents, mais aussi rats, souris, lièvres et hérissons.

Hibou grand-duc

Chouettes et hiboux ne chassent qu'à la tombée de la nuit. Ils sont d'excellents chasseurs. Leur vol est tellement silencieux que les proies ne les entendent pas arriver !

Et encore

Son vol

Tout aussi rapide que celui de la chouette, sauf au moment des premicrs battements d'ailes qui peuvent paraître lourds et lents, en raison de son poids.

Sa vie active

Contrairement à la chouette, le hibou n'est absolument pas actif dans la journée. Il attend, blotti dans le trou d'un tronc d'arbre, par exemple, que la nuit arrive.

Parce que leur plumage est souvent en harmonie avec les troncs des arbres dans lesquels ils vivent, on dit qu'ils sont mimétiques. C'est pour cela qu'il est très difficile de les apercevoir dans la journée !

Et encore

MAMMIFÈRE
éléphantidé

2 500 à 5 000 kg
2 à 3,50 m à l'épaule

**Longévité :
env. 70 ans**

Il barète ou barrit

ÉLÉPHANT D'ASIE

Sa silhouette
Plus petit que l'éléphant africain, et contrairement à lui, ce pachyderme asiatique fait le dos rond !

Sa tête
Il possède deux bosses sur le front, alors que son homologue africain n'en possède qu'une. Contrairement à sa cousine africaine, la femelle n'a pas de défense. Et même parfois les mâles non plus !

Ses oreilles
Mais oui, ce sont les oreilles de l'éléphant asiatique qui sont les plus petites et elles ne recouvrent pas ses épaules.

Et encore

L'éléphant d'Asie était le plus proche parent du mammouth aujourd'hui disparu.

Sa trompe
Si la trompe de l'éléphant d'Afrique comporte de gros bourrelets, celle de l'éléphant d'Asie est presque lisse.

Ses pieds antérieurs comportent quatre ongles

Son lieu de vie
C'est en Inde et dans les forêts denses d'Asie du Sud-Est que ces grands mammifères asiatiques ont élu domicile. On ne le rencontrera donc jamais dans les savanes africaines !

Sa silhouette

Voici une différence de taille ! Il est plus grand que son compère asiatique et son dos cambré lui confère une silhouette moins tassée.

Ses oreilles

Voici ce que l'on sait presque tous : les oreilles du pachyderme africain sont beaucoup plus grandes. Elles cachent ses épaules, ce qui n'est pas le cas chez l'éléphant d'Asie.

Il n'y a pas que la taille des oreilles qui fait la différence entre ces deux plus grands mammifères terrestres.

Sa tête

À l'inverse de l'éléphant asiatique, son front surmonté d'une bosse médiane, est fuyant.

MAMMIFÈRE
éléphantidé

3 000 kg à 7 000 kg
3 à 4 m à l'épaule
Longévité :
50 à 80 ans

Il barète ou barrit

Les défenses en ivoire, si convoitées par les braconniers, sont leurs incisives supérieures. Elles peuvent mesurer jusqu'à 2,50 m et peser 60 kg. Elles sont présentes chez la femelle comme chez le mâle.

Et encore

Sa trompe

À l'inverse de la trompe plutôt lisse de son cousin d'Asie, celle du pachyderme africain est striée par des bourrelets transversaux. Son extrémité a deux doigts, ce qui n'est pas le cas chez l'éléphant asiatique qui n'en possède qu'un.

Sa trompe possède deux doigts

Son lieu de vie

Comme son nom l'indique, cet éléphant ne vit qu'en Afrique dans les savanes, les forêts et parfois même dans les régions semi-désertiques, au sud du Sahara. On ne le rencontre donc pas en Asie !

MAMMIFÈRE
félidé

35 à 72 kg
1,10 à 1,50 m
Longévité :
env. 7 ans

Il feule

Sa silhouette

Le guépard est bien plus élancé, et plus léger que le léopard. Haut sur pattes, il s'en distingue aussi par son dos cambré et souple et des pattes plus fines.

Sa tête

Le guépard à l'air un peu triste à cause des deux lignes noires qui soulignent sa face, du coin de l'œil à sa gueule. On les appelle des larmiers.

À savoir

Le guépard est connu comme étant le seul félidé facile à apprivoiser. Trois mille ans avant notre ère, ce carnivore accompagnait déjà les chasseurs sumériens. Plus tard, des rois de France, d'Angleterre ou encore des tsars russes possédaient ces félins pour pratiquer une chasse d'apparat.

Et encore

Il est le plus rapide de tous les mammifères. Il est capable de filer à près de 100 km/h. Mais il est aussi celui qui a la plus grande accélération au départ arrêté. Il suffit de compter jusqu'à trois pour que ce félidé atteigne déjà 75 km/h !

Guépard d'Afrique

Son lieu de vie

Il ne vit qu'en Afrique. Aujourd'hui, on ne le trouve plus que dans les steppes et savanes africaines de l'Est et du Sud. Autrefois, il fréquentait toute l'Afrique et aussi l'Asie…

Sa robe

Contrairement au léopard, son pelage est marqué de taches entièrement noires. À l'extrémité de sa queue, il y a des anneaux de la même couleur.

De tous les félins, il est le seul à ne pas posséder des griffes rétractiles. Ses hautes pattes lui permettent de voir au-dessus des herbes de la savane.

Et encore

Le guépard ne peut pas rugir comme le léopard car il n'a pas la même anatomie que lui. Une autre façon de les différencier !

À table !

Il a l'habitude de manger ses proies à l'abri des regards. Ce qui ne l'empêche pas de se les faire dérober par des lions ou des hyènes. Gazelles, impalas ou jeunes gnous font partie de son alimentation.

LÉOPARD ?

MAMMIFÈRE
félidé

37 à 90 kg
1,30 à 1,90 m
**Longévité :
env. 12 ans**

**Il rugit, feule
ou miaule**

Sa silhouette

Voici un félin qui ressemble vraiment à un gros chat. Il paraît moins famélique que le guépard ! Sa silhouette est assez allongée. Même s'il est plus court sur pattes, il est malgré tout plus grand que le guépard.

ROOOAAAAARRRR, grâce à un os spécial situé dans sa gorge, le léopard rugit alors que le guépard ne le peut pas !

Sa tête

Sa tête plus forte que celle du guépard n'a pas de larmiers. Ce qui le rend plus chaleureux. Mais attention à ses mâchoires bien plus puissantes et à son caractère beaucoup moins docile !

Son lieu de vie

À l'inverse du guépard, le léopard vit aussi bien dans les savanes et les régions semi-désertiques, dans les forêts et les montagnes de certaines régions d'Afrique et d'Asie. Il supporte autant les grandes chaleurs que le froid. Certaines espèces, tel le léopard des neiges, vivent dans les hautes montagnes.

Léopard d'Afrique

À table !

Contrairement au guépard qui ne mange qu'au sol, le léopard peut se mettre à table… sur un arbre ! Ainsi, il ne sera pas dérangé lors de son festin. Il peut y hisser du gibier pesant près de 150 kg !

Quelle différence entre un léopard et une panthère ? Il n'y en a aucune ! Ces deux noms désignent le même animal !

La panthère noire

La coloration de ce félin est due à une anomalie génétique qu'on appelle le mélanisme. Ce léopard produit plus de colorant brun/noir (mélanine) qu'un autre, ce qui rend le pelage presque totalement noir.

Sa robe

Le léopard porte une belle robe de couleur fauve, constellée de taches bicolores (les rosettes), au contraire du guépard dont les taches sont d'une seule couleur.

AMPHIBIEN
ranidé

30 à 150 gr

1,5 à 15 cm

**Longévité :
env. 10 ans**

Elle coasse, et non
pas croasse comme
le corbeau

Amphibien ou batracien ?

On peut utiliser l'un comme
l'autre de ces deux mots.
Ils désignent les animaux
vertébrés qui vivent à la fois
sur la terre et dans l'eau.
Ils ne peuvent supporter
les températures froides.
Au-dessous de -2 °C,
ils hibernent.
Les larves s'appellent têtards.

GRENOUILLE

*Qui n'a jamais pensé que
ces deux amphibiens étaient
le mâle et la femelle de la même
famille ? Ils se ressemblent,
mais pas tant que ça…*

Sa silhouette

Au premier regard, la grenouille
semble beaucoup plus séduisante
que le crapaud ! Elle est plus
élancée et plus fine.

Sa peau

Sa peau est lisse, brillante et humide.
Sa coloration dépend des espèces.
On en comptabilise plus de 1 800
à travers le monde. La grenouille
verte est peut-être la plus connue,
mais il en existe des rouges, jaunes,
bleues. Certaines arborent à elles
seules toutes ces couleurs !

Grenouille verte

À table !

Souvent immobile pendant
la journée, surtout lorsque le soleil
brille, la grenouille passe à table
dès la nuit tombée. Son plat
préféré ? Les insectes volants.

Ses pattes

Ses pattes postérieures sont
longues et musclées. Ce qui lui
permet de bondir pour mieux
échapper aux prédateurs.
Elle peut effectuer des sauts
de plus de 50 cm !
Ses pieds palmés en font
une excellente nageuse.

Son lieu de vie

La grande différence entre ces deux
amphibiens est que la grenouille vit près
et dans l'eau, tandis que le crapaud
ne vient à la mare que pour s'y
reproduire et pondre ses œufs.
Ces amphibiens peuvent pondre
jusqu'à 5 000 œufs en une fois !

ou CRAPAUD ?

AMPHIBIEN
bufonidé

30 gr à 3 kg
1,5 à 35 cm
Longévité :
15 à 20 ans

Il coasse ou siffle

Sa silhouette
Le crapaud est trapu, ramassé, grassouillet. Son aspect n'est pas forcément engageant… D'ailleurs, au Moyen Âge, on pensait qu'il s'agissait d'un animal maléfique !

À table !
Il raffole d'insectes et de petits animaux (limaces, chenilles, cloportes) qu'il attrape avec sa langue collante. Il mastique sa proie avec le palais car il ne possède pas de dents.

Sa peau
Si la peau de la grenouille est lisse, celle du crapaud est épaisse, sèche et résistante à la déshydratation (manque d'eau) et aux blessures. Et aussi, constellée de verrues remplies de toxines qui peuvent empoisonner. Une arme secrète que certains prédateurs ne connaissent pas forcément ! On dit qu'il a la peau verruqueuse, ou pustuleuse.

Verrues remplies de toxines

Crapaud commun

Et encore

Dans la famille de l'alyte accoucheur ou crapaud accoucheur, c'est le mâle qui porte les œufs sur son dos. Quel papa poule, ce batracien !

Son lieu de vie
Contrairement à Dame grenouille, Monsieur crapaud vit dans les forêts, les prairies ou les jardins dans lesquels il passe l'hiver à l'abri du froid et des intempéries. Il peut se terrer dans un trou d'une cinquantaine de centimètres de profondeur qu'il aura creusé à l'aide de ses pattes postérieures. Il pourra y demeurer près de deux mois en vivant sur ses réserves de graisse.

Ses pattes
Comme il n'a pas les pattes aussi longues que la grenouille, il ne peut pas faire de grands sauts pour fuir. Il rampe ou ne fait que de petits bonds.

MAMMIFÈRE
camélidé

400 à 1000 kg
1,70 à 2,30 m
**Longévité :
env. 30 ans**

Il blatère

DROMADAIRE

*Tout le monde le sait,
il faut compter les bosses de
ces camélidés pour les différencier,
mais pas seulement !*

Sa couleur

Le dromadaire est beige,
couleur sable très clair.
Cela lui permet de repousser
la chaleur des rayons du soleil.
C'est pratique lorsque
l'on vit dans des déserts
très chauds.

Sa silhouette

Contrairement au chameau,
le dromadaire n'a qu'une bosse. Il peut mesurer
près de 2,40 m à son sommet. Il est aussi plus
élancé. Ses jambes sont longues et fines.
Il est si bon coureur qu'on organise dans certains
pays des courses de dromadaires.

Son pelage

Sa fourrure au poil plutôt court
est épaisse. C'est aussi pour
cette raison, en plus de sa couleur,
qu'il peut supporter les fortes
chaleurs et le froid de la nuit.

Dromadaire (chameau d'Arabie)

À savoir

Le dromadaire est un animal
uniquement domestique, même si
parfois on en trouve encore à l'état
sauvage comme en Australie,
où leurs maîtres les avaient
abandonnés. Ils y avaient été
envoyés au XIXe siècle, depuis
le Moyen-Orient, pour servir
de moyen de transport et d'animal
de trait. Ils seraient aujourd'hui
près d'un million à errer
dans le désert australien !

Et encore

Ces deux «bossus» peuvent boire
jusqu'à 200 litres d'eau en quelques
minutes et sont capables de rester
trois semaines sans boire !
Les jeunes chameaux et dromadaires
s'appellent des chamelons.

Son lieu de vie

Il vit en Afrique du Nord, au Moyen-Orient et jusque
dans les régions désertiques chaudes de l'Inde du nord-
ouest. Mais pas, comme le chameau, dans les régions
froides d'Asie centrale.

OU CHAMEAU ?

MAMMIFÈRE
camélidé

450 à 700 kg
1,80 à 2,00 m

**Longévité :
env. 30 ans**

Il blatère

Sa silhouette

Le chameau est plus petit et plus trapu que le dromadaire, mais ce sont bien sûr ses deux bosses qui le différencient de son cousin «mono bosse». Son nom complet est chameau de Bactriane.

Son pelage

Ce camélidé vit dans une région où les températures en hiver atteignent -35 °C et en été + 35 °C ! Il a donc un pelage aux longs poils plutôt bruns, adapté aux grands froids et à la chaleur. Sa toison s'épaissit en hiver. Mais en été, il mue et sa fourrure part en lambeaux pendouillant sur les flancs de son corps…

Camélidés

C'est le nom de la famille qui regroupe les mammifères ruminants originaires des régions arides, sans corne, pourvus de canines et possédant de larges pieds composés de deux gros doigts. Savez-vous que le lama, la vigogne et le guanaco sont aussi des camélidés ?

Chameau de Bactriane

Sa couleur

Elle permet aussi de faire la distinction. Celle du chameau diffère nettement de celle du dromadaire : brun sombre.

Qu'y a-t-il dans les bosses de ces deux camélidés ? Contrairement à ce que l'on imagine, les bosses des chameaux ne contiennent pas d'eau, mais des matières grasses qui sont de véritables réserves énergétiques.

Et encore

Son lieu de vie

Le chameau est originaire d'Asie centrale, on le croise notamment en Mongolie et en Chine. Il n'y a donc aucune chance de le rencontrer aux côtés de son cousin le dromadaire, dans le désert du Sahara !

REPTILE
lépidosaurien

2 à 11 kg
30 cm à 2 m
Longévité :
10 à 15 ans

À savoir

L'iguane vert est le plus commun des iguanidés. Avec ses deux mètres, il est le plus long des lézards herbivores. Mais il est aussi moins grand que le varan de Komodo qui le dépasse d'un mètre et qui peut peser plus de 100 kg !

IGUANE *ou*

Sa langue
La langue de l'iguane est plate et non fourchue. Elle n'a pas non plus d'étui dans lequel elle puisse rentrer, comme celle du varan.

Sa silhouette
Des crêtes qui se dressent sur le dos ou la queue, des écailles épineuses… les iguanes paraissent mieux armés que les varans qui montrent une silhouette moins agressive… Mais attention, ne pas s'y fier !

Fanon gulaire ·····

····· *Écussons*

Sa tête
Les iguanidés se différencient généralement des varans par leur peau mince qui semble pendre sous le menton. Leur fanon gulaire peut se déployer pour intimider un adversaire. Certains autres possèdent une gorge, qu'ils peuvent gonfler.

À table !
L'iguane est herbivore et frugivore (il mange des fruits). Il ne dédaigne pas les petits insectes.

Son lieu de vie
Ce reptile en majorité arboricole (qui vit dans les arbres) est résolument américain ! Il élit domicile près des cours d'eau ou au bord de la mer dans les régions chaudes des États-Unis, Antilles, Amérique Centrale et Amérique du Sud.

Iguane vert

Sa queue
La queue de l'iguane, fine et longue, est souvent agrémentée d'une petite crête. Elle lui permet de nager remarquablement.

Et encore

Sur l'archipel des Galápagos, au large de l'Équateur, vit le seul lézard marin au monde, l'iguane marin des Galápagos. Il peut rester sous l'eau durant une vingtaine de minutes à la recherche d'algues, sa nourriture de prédilection !

VARAN ?

Sa silhouette

Le cou du varan étant plus long que celui de l'iguane, sa silhouette en paraît plus allongée. Il ne possède pas de crêtes ou d'aiguilles sur le dos ou sur la queue. Ce lézard est communément de grande taille.

Ces lézards qui semblent tout droit sortis des temps préhistoriques sont affublés de cuirasses bien différentes…

REPTILE
lépidosaurien

600 g à 100 kg

20 cm à 3 m

**Longévité :
10 à 15 ans**

Son lieu de vie

Si les iguanes ne fréquentent que les régions chaudes d'Amérique, les varans, qui aiment aussi les températures élevées, vivent dans les plaines désertes ou les rivages en Asie du Sud, en Nouvelle-Guinée, dans certaines îles d'Indonésie, au nord de l'Australie et en Afrique. On ne les trouve ni en Europe, ni en Amérique.

Komodo

Le dragon de Komodo possède une salive riche en bactéries toxiques. Lorsqu'il mord une proie, il n'a pas besoin de se battre des heures pour la terrasser. Il lui suffit d'attendre que la bête meure seule, empoisonnée par sa morsure. À lui le festin !

Sa tête

Sa tête souvent triangulaire n'a pas de fanon gulaire comme l'iguane, mais la peau de son cou est très lâche et se détend afin qu'il puisse avaler ses proies.

Varan perenti

Langue bifide

Sa langue

Le varan possède une longue langue fourchue. On dit qu'elle est bifide. Comme chez le serpent, elle peut rentrer dans un fourreau. Et comme l'iguane, sa langue est plutôt un organe du toucher que de gustation. Mais elle lui permet aussi de humer l'air. Certains varans peuvent repérer une dépouille à plus d'un kilomètre !

À table !

Contrairement à l'iguane, le varan ne consomme pas de plantes, mais fait son régal de toutes sortes d'animaux. Le célèbre dragon de Komodo en Indonésie (qui est un varan) est capable de croquer un cerf ou un buffle en un temps record. Avalant les chairs, la peau et même les os !

OISEAU
laridé

90 à 650 g
25 à 48 cm

**Longévité :
jusqu'à 25 ans**

Elle crie

MOUETTE *ou*

*Pour ces deux oiseaux marins
bien connus, c'est la taille
qui fait la différence !*

Sa silhouette

Ces deux palmipèdes sont très difficiles
à identifier. C'est seulement grâce
à la petite taille de la mouette que l'on peut,
au premier regard, faire la différence
entre ces oiseaux de mer.

*En période de reproduction,
la mouette rieuse se pare
de ce capuchon brun très foncé.*

Et encore

La mouette pygmée, la plus petite
des mouettes, ne mesure que
25 cm et ne pèse que 90 g. Alors
que le plus grand des goélands,
le goéland marin, atteint 80 cm
pour un poids de 2 kg !

Mouette rieuse

Sa tête

Selon les espèces
et la période de reproduction,
le plumage de la tête
de la mouette peut
changer de couleur et former
un capuchon brun ou noir,
ou un collier.

Ses pattes

Les pattes de la mouette prennent
des teintes parfois très lumineuses
comme le rouge de la mouette
rieuse, ou sombres comme
le noir de la mouette tridactyle.
Mais jamais jaune ou rose,
comme celles du goéland.

Et encore

Il n'y a que très peu d'espèces
de mouettes qui pêchent le poisson.
Elles sont en général de hardies pique-
assiettes. Elles harcèlent les autres oiseaux
pour leur chiper leur nourriture !
De vrais parasites !

À table !

Ces deux là ont à peu près le même régime alimentaire,
poissons, coquillages et invertébrés sur les côtes et
dans les terres, ou déchets de poisson qu'ils récupèrent
derrière un bateau de retour de pêche. Mais ils se délectent
de nourritures moins nobles, dénichées en fouillant
les tas d'ordures !

GOÉLAND ?

Sa silhouette

Si ce palmipède au plumage plutôt blanc ressemble aux mouettes, il est nettement plus grand. C'est donc cette différence de taille qui a justifié son nom ! Il fait partie de la grande tribu des laridés, constituée de plus de 50 espèces de mouettes et de goélands.

Son bec

Son bec, plus fort que celui de la mouette, semble légèrement crochu. C'est la partie supérieure du bec qui fait un petit angle en se rabattant sur la partie inférieure.

À table !

Même si les goélands sont généralement charognards, certains comme le goéland marin peuvent être des prédateurs très adroits. Le goéland argenté est malin… Il laisse tomber en plein vol des coquillages afin qu'ils se cassent en arrivant au sol. Il n'a alors plus qu'à les déguster sans avoir fourni aucun effort pour les ouvrir !

Sa tête

Sa tête est généralement blanche mais certains, tel le goéland ichthiayète (un nom compliqué à retenir !), peuvent avoir une tête noire.

OISEAU *laridé*

750 g à 2 kg
55 à 80 cm
**Longévité :
20 à 30 ans**

Il pleure ou raille

Le grisard est le nom du jeune goéland. Il tient son nom de son plumage, mélange de gris, de blanc et de marron. Il lui faudra de deux à quatre ans pour revêtir le beau plumage de ses parents.

Goéland marin ou argenté

Ses pattes

Ses pattes peuvent être roses, jaunes ou bleutées selon les espèces, mais jamais rouges comme certaines mouettes.

Même si il y a des membres de cette grande tribu que l'on rencontre sur les côtes tropicales de la planète, les mouettes et les goélands sont bien plus présents dans tout l'hémisphère Nord.

REPTILE
saurien

400 kg à 1 tonne
4 à 7 m
Longévité :
70 à 100 ans

Il lamente, pleure
ou vagit

CROCODILE *ou*

Larmes de crocodile

On dit que le crocodile marin
pleure souvent. Ce n'est pas
à cause de la tristesse
qui l'accablerait, mais
pour expulser l'excès de sel
de son corps !

Crocodiliens

L'ordre des crocodiliens
regroupe vingt-quatre espèces
de grands reptiles amphibies et
carnivores : les crocodiles, les
alligators que l'on associe aux
caïmans, et les gavials au long
museau étroit.

Son lieu de vie

Comme tous les crocodiliens, il vit dans
les régions tropicales et subtropicales,
bien chaudes et humides. Il investit
les étangs, marais, marécages,
lacs et rivières d'Afrique, d'Asie,
d'Amérique et d'Australie.

Sa tête

Vue de dessus, la tête plus fine
est légèrement triangulaire,
elle pourrait avoir la forme
de la lettre V. Mais c'est surtout
son museau plus long
et plus fin qui le distingue.

Sa silhouette

Plus grand et plus lourd que
l'alligator, c'est aussi à la forme de
sa tête que l'on peut les différencier.
Sa queue est aussi plus longue
et aplatie sur les côtés.

À table !

Même si les poissons, oiseaux ou grenouilles
sont des mets ordinaires, les zébus, zèbres,
girafes ou autres grands mammifères peuvent
faire partie de son régime alimentaire.
Pour tuer ses proies, le crocodile les noie
puis les avale sans les mâcher. Si elles sont
trop volumineuses, il les stocke au fond de l'eau
pour les consommer lorsqu'elles seront
décomposées !

Lorsque le crocodile est en plongée,
son œil est protégé par une paupière
transparente.

····· Scutelles

Crocodile du Nil

Dents ·····

Le crocodile est un véritable
prédateur. S'il se sent menacé,
il n'hésitera pas à attaquer,
à l'inverse de l'alligator, plus
docile, qui aura plutôt tendance
à fuir !

Ses dents

Lorsqu'il ferme sa gueule,
la quatrième dent de chaque côté
de sa mâchoire inférieure
dépasse nettement. Ce qui n'est pas
le cas chez son cousin l'alligator.

Sa peau

Une véritable cuirasse ! Les écailles cornées
très épaisses, qu'on appelle les scutelles,
sont proéminentes. Elles sont alignées
en crêtes longitudinales jusqu'au bout
de la queue.

ALLIGATOR ?

REPTILE
saurien

250 à 450 kg
4,50 à 6 m
**Longévité :
50 à 70 ans**

Il vagit

Sa silhouette

Les deux espèces d'alligators qui existent sont plus petites que les crocodiles. Leur queue est aussi plus large.

Sur les vingt-quatre espèces de reptiles crocodiliens, seulement deux d'entre elles sont des alligators !

Son lieu de vie

L'alligator n'a pas élu domicile en Afrique, mais aux États-Unis, en Amérique centrale et en Chine. Il adore se prélasser dans les eaux des rivières ou les marécages. Le sud de la Floride est le seul endroit où se côtoient alligators et crocodiles.

Sa tête

Sa tête est plus courte et plus large que celle du crocodile. De plus, ce reptile a un museau en forme de U contre le V du crocodile.

Ses dents

À l'inverse du crocodile, lorsque sa gueule est fermée, il n'y a aucune dent qui dépasse de sa mâchoire inférieure. Seules les dents de la mâchoire supérieure sont visibles !

Alligator du Mississippi

Ce sont les dents de la mâchoire supérieure qui dépassent

Sa peau

Même si la peau de l'alligator est épaisse et écailleuse, elle n'a pas d'écailles dorsales aussi saillantes que son comparse le crocodile.

À table !

Avec sa taille plus modeste, l'alligator ne peut, comme le crocodile, s'attaquer à des zébus ! Mais il fera bonne table de grenouilles, de poissons ou de petits mammifères.

À savoir

Dans l'eau, là où le crocodile est rapide et agressif, l'alligator semble lent et presque maladroit ! C'est qu'il ne dispose pas de cette longue queue puissante qui permet au premier de se propulser avec facilité. Le crocodile est également plus à l'aise au sol : il peut atteindre 18 km/h sur de courtes distances !

MAMMIFÈRE
canidé

7 à 15 kg
80 cm à 110 cm
**Longévité :
env. 14 ans**

**Il jappe, piaule
ou aboie**

CHACAL ou

*À chacun son territoire !
Ces deux canidés très semblables…
ne se rencontreront jamais.*

Sa silhouette
Le chacal est en général plus petit
que le coyote. Il ressemblerait
davantage à un renard qu'à un loup.

Son pelage
Suivant les espèces, son pelage
peut passer du brun roux
au jaune ou au grisâtre, revêtir
une sorte de paletot sombre ou
avoir les flancs striés légèrement
de blanc. Comme le chacal
à chabraque, qui possède
une fourrure dorsale mouchetée
de blanc et de noir.

Son habitat
Contrairement à son cousin
le coyote, il vit sur plusieurs
continents. Il fréquente les savanes et
les régions désertiques d'Afrique
et d'Asie du Sud. Ce carnivore étend
même son territoire jusqu'en Europe
où on le voit aussi en Grèce,
en Hongrie, en Croatie ou
en Slovénie et l'on en aurait
même observé en Autriche !

Anubis
Les Égyptiens de l'époque
pharaonique révéraient
Anubis, le dieu des morts, qui
était représenté par un chacal
ou bien par un homme
à tête de chacal.

Et encore

«Quel chacal !» peut se dire,
en langage familier,
d'une personne sournoise
ou opportuniste.

Chacal à chabraque

Son mode de vie
Les chacals vivent en petits groupes
dans des savanes ouvertes. Comme
les loups, ils obéissent à une hiérarchie
précise, avec des codes gestuels
de soumission ou d'intimidation.

À table !
Il se nourrit de charognes mais
aussi d'oiseaux, de mammifères,
de reptiles qu'il capture.
Et quelquefois de fruits. Il est aussi
présent aux abords des villages
près desquels il peut fouiller
les poubelles !

COYOTE ?

MAMMIFÈRE
canidé

10 à 20 kg
75 cm à 1 m de long
**Longévité :
env. 14 ans**

**Il glapit, aboie
ou hurle**

Sa silhouette

Même s'il est en bonne santé, le coyote est plutôt maigre, plus petit que le loup, son principal rival, mais en général plus grand que le chacal.

Son pelage

Le coyote, que l'on surnomme parfois «loup de la prairie», possède une belle fourrure épaisse plutôt grise, contrairement aux pelages des différentes espèces de chacals.

À table !

Chasseur carnassier, mais aussi omnivore, le coyote peut se délecter de baies sauvages. Ses mets favoris sont les écureuils terrestres, lapins, serpents, poissons, ou quelquefois même de jeunes cerfs.

Coyote américain

À savoir

Les coyotes s'adaptent tellement bien à toutes sortes d'habitats qu'ils s'installent même dans des zones industrielles ou dans les agglomérations. Il y en aurait un bon millier à Chicago. On en a même capturé dans Central Park, au cœur de New York !

Langage

Le coyote est bavard, il hurle, glapit, grogne… Mais il parle aussi avec son corps. Tout est bon pour se faire comprendre ! Il retrousse les babines, baisse ou relève la queue, plaque et dresse les oreilles, ou hérisse le poil pour signifier ses émotions.

Son mode de vie

Plus solitaire que son collègue chacal, le coyote chasse seul ou en couple. Les meutes sont rares, sauf au printemps lors de la période de reproduction.

Son habitat

Voici la grande différence entre ces deux canidés. Le coyote ne vit qu'en Amérique, de l'Alaska à l'Amérique centrale. Alors que le chacal est présent sur plusieurs continents… mais pas en Amérique !

Svelte, musclé, les pattes longues et fines, le coyote a les caractéristiques d'un grand coureur. Il peut atteindre une vitesse de 60 km/h sur une distance d'environ 300 mètres !

Et encore

INSECTE
apidé

90 à 250 mg
1 à 3 cm
**Longévité :
1 à 5 mois (3 à 5 ans
pour une reine)**

**Elle bourdonne
ou vrombit**

Apidés

L'abeille fait partie des apidés. Cette famille est si vaste qu'elle possède de nombreuses sous-familles. Elle regroupe les insectes mellifères qui fabriquent du miel, comme l'abeille et le bourdon.

Son domicile

La ruche, bien sûr, pour les abeilles domestiquées par l'homme. Les abeilles sauvages sont solitaires. Pour nidifier, certaines creusent des trous dans le sol, d'autres investissent des coquilles vides d'escargot !

Et encore

1 cm, c'est la taille d'Apis florea, la plus petite abeille au monde. La production de miel d'Apis laboriosa, la plus grande abeille connue, peut atteindre 60 kg par nid ! Il existe plus de 20 000 espèces à travers le monde !

L'abeille butineuse n'a pas une taille de guêpe, bien au contraire.

Sa silhouette

Son corps est trapu et plus poilu que celui de la guêpe. Elle paraît presque dodue.

Sa couleur

En général, l'abeille est rayée de beige et de marron… mais il existe des exceptions, comme l'abeille nomada qui ressemble à s'y méprendre… à une guêpe !

Abeille européenne

Le pollen que l'abeille a récolté sur les fleurs est stocké dans ces sortes de petits paniers qu'on appelle corbeilles.

À table !

L'abeille se nourrit du nectar des fleurs qu'elle butine, alors que la guêpe ne le fait pas. C'est l'abeille qui produit la cire et le miel !

Son aiguillon

L'abeille ne pique qu'une fois dans sa vie ! Son aiguillon fourchu fait partie de son ventre. Lorsqu'elle se retire, il reste dans les chairs de la victime, lui arrachant une partie de son abdomen et entraînant ainsi la mort de cette travailleuse insatiable. Mais sachez que l'abeille ne pique que lorsqu'elle se sent attaquée !

GUÊPE ?

INSECTE
vespidé

70 à 150 mg
1 à 4 cm
**Longévité :
env. 2 mois (4 à 5 ans
pour une reine)**

**Elle bourdonne
ou vrombit**

Sa silhouette

Contrairement à l'abeille, la guêpe possède
un abdomen tout lisse, presque brillant.
Son thorax est très légèrement poilu. Sa taille
très fine a donné l'expression bien connue :
« Avoir une taille de guêpe ».

À table !

Omnivore et carnassière, la guêpe ne butine pas les fleurs !
Elle raffole de toutes sortes de sirops, de fruits très mûrs,
d'insectes et même du miel des abeilles ! Les morceaux
de viande qu'elle vous dérobe lorsque que vous déjeunez
au soleil vont servir à nourrir ses larves.

Son aiguillon

La guêpe, qui est une prédatrice,
peut piquer autant de fois
qu'elle veut car son aiguillon
n'est pas fourchu.

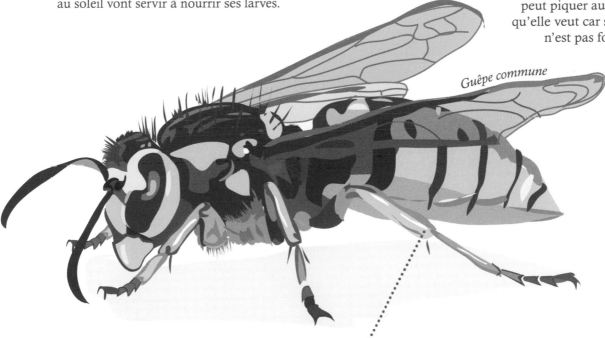

Guêpe commune

*Dépourvues de corbeilles,
ses pattes sont plus fines
que celles de l'abeille.*

Sa couleur

C'est grâce à ses rayures jaune vif
et noires que l'on différencie facilement
la guêpe de l'abeille, aux couleurs
plus ternes. Ces couleurs vives indiquent
à un éventuel prédateur que la guêpe a
très mauvais goût !

Son domicile

Pas de ruche pour la guêpe ! Son nid
s'appelle un guêpier. Pour ces insectes
bâtisseurs, tous les endroits sont bons pour
s'installer : terriers abandonnés, buissons,
greniers ou même boîtes aux lettres.
Dans la nature, la guêpe prépare une sorte
de pâte en mélangeant sa salive à
des copeaux ou de la sciure qu'elle utilise
comme ciment pour bâtir son nid.

OISEAU
alcidé

500 à 600 gr

40 cm

**Longévité :
env. 15 ans**

Il brait

Alcidés

Ce sont des marins, au corps trapu et à la queue assez courte. Ils se propulsent sous l'eau grâce à leurs ailes.

PINGOUIN *ou*

*Qu'est-ce que fait un pingouin qu'un manchot ne fait pas ?
IL VOLE !*

Le vol

La grande différence entre ces deux oiseaux marins est que le pingouin vole alors que le manchot en est incapable ! Le pingouin torda, son nom complet, fait partie de la famille des alcidés. Il est plus petit que le manchot.

Sa silhouette

Il est vrai que tous les deux se tiennent droits et semblent porter un costume noir et une chemise blanche ! Le pingouin est plus petit et assez dodu. À y regarder de plus près, on s'aperçoit que l'extrémité de son bec est légèrement crochue.

Sa couleur

Il a le dos noir et le ventre blanc. Petite coquetterie : une fine ligne blanche qui traverse les ailes, et une autre qui va du bec à l'œil.

Les ailes du pingouin en forme de sabre lui servent aussi de nageoires qui sont de véritables propulseurs sous l'eau !

Pingouin torda

Son lieu de vie

Le pingouin ne vit que sur les côtes des terres les plus au nord de l'océan Atlantique, comme celles de Bretagne, en France, de l'Islande, de l'Amérique du Nord ou de la Russie.

Et encore

Il n'existe qu'une seule espèce de pingouin, alors qu'il y a près de dix-huit espèces de manchots ! Ses cousins sont le macareux, au joli bec strié d'orange et de noir, le guillemot et les mergules.

MANCHOT ?

Sa silhouette

Beaucoup plus grand que le pingouin,
le manchot à fière allure même s'il se déplace
sur terre d'une façon un peu maladroite.
Sous l'eau, il est un véritable champion
de natation !
Le plus grand des manchots est le manchot
empereur. Il peut atteindre 1,30 m de hauteur
et peser plus de 40 kg…

Ses ailes

Il les utilise comme de véritables
nageoires ! Il peut nager sous l'eau
à très vive allure. Le plus rapide
d'entre eux, le manchot papou,
peut atteindre 36 km/h !
C'est la petitesse de ses ailes qui
lui a valu son nom de manchot !

Son lieu de vie

Contrairement au pingouin, le manchot
vit uniquement dans l'hémisphère Sud,
dans les régions plutôt froides… On le retrouve
en Antarctique, en Nouvelle-Zélande,
au sud de l'Australie, de l'Amérique du Sud
et de l'Afrique du Sud. Une exception :
le manchot des Galápagos vit près de l'Équateur !

Manchot empereur

OISEAU
sphéniscidé

1 à 40 kg
35 à 130 cm
Longévité :
15 à 20 ans

**Il brait
ou jabote**

Sphéniscidés

Les manchots et les gorfous
(sortes de manchots) font partie
de cette famille d'oiseaux
de mer qui ne vivent que
dans l'hémisphère austral.

Le vol

Trop réduites, les ailes
du manchot lui interdisent
le vol. Son poids est
un autre handicap.

Sa couleur

Le dos et la tête sont noirs,
le ventre est blanc. Il porte
un élégant plastron jaune clair
sur le haut de la poitrine et
deux belles bandes orangées
au niveau des oreilles.

«Ne pas être manchot»
Cette expression familière
se dit d'une personne qui est très
habile, car elle n'est pas comme
un manchot (quelqu'un à qui
il manque un bras ou une main).

Et encore

33

MAMMIFÈRE
léporidé

2, 5 à 7 kg

48 à 76 cm

Longévité :

env. 10 ans

Il vagit ou couine

Léporidés

De longues oreilles, de grandes et puissantes pattes postérieures, des dents à croissance continue et de gros yeux d'animaux crépusculaires sont les caractéristiques de cette famille qui compte près de cinquante espèces de lièvres et de lapins. S'accommodant des végétations les plus coriaces, les léporidés ont colonisé presque tous les milieux du monde !

Ses oreilles

Le lapin comme le lièvre ont de longues oreilles. Mais en comparaison, celles du lièvre paraissent presque démesurées ! Comme le lapin, elles sont sensibles et mobiles. Toujours à l'affût du moindre bruit.

LIÈVRE

Sa silhouette

Le lièvre est en général plus grand, plus mince, plus léger, bref plus « athlétique » que le lapin.

Son lieu de vie

La grande différence entre ces deux léporidés est que le lièvre est solitaire alors que le lapin vit en groupe. Il n'habite pas dans un terrier mais se repose et élève ses petits dans un nid à même le sol, appelé gîte.

Lièvre d'Europe

Ses pattes

Le lièvre s'enfuit devant l'ennemi. Ses longues pattes postérieures très musclées lui permettent de détaler à toute vitesse lorsqu'il se sent en danger. Le lièvre d'Europe peut atteindre des pointes de vitesse à près de 80 km/h. Champion de saut toutes catégories, il peut faire des bonds de près de 2 m à la verticale et de 3 m en longueur !

Les petits

Les petits lièvres sont pourvus dès la naissance d'une belle fourrure et ils savent très vite subvenir à leurs besoins ! Contrairement au lapereau (le petit du lapin) qui naît tout nu. Originaire des steppes asiatiques, le lièvre s'est adapté à presque toutes les régions du monde.

Et encore

Le lièvre serait-il un grand lecteur ? Le nom donné au lièvre mâle est : bouquin. Lorsqu'un lièvre bouquine, cela ne signifie pas qu'il lit, mais qu'il s'accouple !

Ses pattes lui servent à détaler à toute vitesse !

OU LAPIN ?

Sa silhouette

Le lapin est plus ramassé, plus dodu, plus rond et aussi moins haut sur ses pattes que le lièvre. Sa queue plus courte ressemble à un toupet.

Face au danger, l'un préfère détaler et l'autre se réfugier à l'abri de son terrier.

MAMMIFÈRE
léporidé

300 gr à 3 kg
23 à 55 cm

**Longévité :
8 à 12 ans**

**Il glapit, couine
ou clapit**

Ses oreilles

Les oreilles du lapin ne sont pas aussi grandes que celles de son cousin le lièvre. Mais elles lui procurent une aussi bonne ouïe !

Les lapins ne sont pas menacés d'extinction ! La vitesse à laquelle ils se reproduisent est phénoménale. Au XIXᵉ siècle, ils ont été introduits en Australie pour la chasse. Ces léporidés dévastant les prairies se sont tellement bien acclimatés qu'ils sont devenus un véritable fléau, car ils n'ont pas de prédateurs naturels.

Et encore

Lapin de garenne

Ses pattes

Ses pattes étant moins grandes et moins puissantes, il est donc beaucoup moins rapide que le lièvre. Lorsqu'il pressent un danger, il ne s'enfuit pas à travers champs. Mais il frappe le sol de la patte pour prévenir le reste du groupe et rejoint au plus vite une de ses nombreuses galeries souterraines.

Rongeur ou lagomorphe ?

Ces deux herbivores ne sont pas des rongeurs mais des lagomorphes. Les quatre incisives supérieures qu'ils possèdent font toute la différence avec les rongeurs qui n'en possèdent que deux, comme les souris ou les écureuils !

Son lieu de vie

À l'inverse du lièvre qui n'a pas de « logis », Monsieur lapin est très sociable et vit en communauté. Il creuse de nombreuses galeries souterraines qu'on appelle garennes, d'où le nom du lapin de garenne ! Comme le lièvre, le lapin vit dans des espaces découverts, dans les prairies et même les déserts. Il a colonisé presque tous les continents, sauf l'Antarctique, et n'aime pas beaucoup les régions équatoriales.

OISEAU
accipitridé

0,5 à 6 kg

42 cm à 1,05 m de long

1,15 à 2,40 m
d'envergure

**Longévité :
30 à 35 ans**

Il glatit ou trompette

Accipitridés

Cette famille d'oiseaux que l'on retrouve aux quatre coins du monde, sauf en Antarctique, regroupe une grande majorité des rapaces diurnes comme les aigles, les milans, les harpies, les éperviers, les buses et les vautours.

Et encore

L'œil d'un aigle est jusqu'à huit fois plus perçant que celui d'un humain, ce qui en fait un prédateur redoutable !

L'aigle royal est l'un des plus grands accipitridés du monde.

Son vol
Dans le ciel, il est impressionnant, capable de virevolter à grande vitesse et de fondre brusquement sur sa proie au sol, mais aussi en plein vol ! En piqué, sa vitesse peut avoisiner les 320 km/h.

Sa silhouette
À l'inverse du vautour qui semble un peu voûté, l'aigle a fière allure, bien droit lorsqu'il se tient sur ses pattes.

Sa tête
Sa tête, au regard perçant, est plus forte que celle du charognard et surtout bien plus emplumée.

Son bec
Son bec courbe est puissant et tranchant. Il peut ainsi couper la chair de ses proies en petits morceaux afin de mieux les avaler. À sa base, il y a une membrane que l'on appelle la cire.

Aigle royal

Son cou
Son cou est beaucoup moins long et toujours recouvert de plumes.

Ses pattes
Les serres de l'aigle sont si puissantes qu'elles peuvent, chez certaines espèces, tuer leurs victimes d'un coup de griffes acérées. Elles ont le pouvoir de serrer les proies, contrairement à celles du vautour.

À table !
L'aigle ne mange que des animaux qu'il vient de tuer. Suivant l'espèce, poissons, lapins, marmottes, serpents, jeunes kangourous, lézards… sont ses mets favoris. La harpie féroce, en Amérique latine, ou l'aigle des singes, aux Philippines, chassent même les singes et les petits cervidés !

VAUTOUR ?

OISEAU
accipitridé

950 g à 15 kg
53 cm à 1 m de haut
1,50 à 3 m
d'envergure
**Longévité :
25 à 30 ans**

Sa silhouette

Le vautour n'a pas toujours belle allure.
Sa tête «rentrée dans les épaules» lui donne
une silhouette de bossu. Malgré son aspect
peu engageant, cet oiseau était vénéré
dans l'Antiquité.

*Si ces deux oiseaux de proie
appartiennent à la même famille,
l'aigle est un chasseur hors pair,
tandis que le vautour est
un charognard.*

Son cou

Suivant les espèces,
le cou est le plus souvent
nu ou recouvert
d'un léger duvet. Cela
lui permet, sans trop
se souiller, de fouiller
l'intérieur des carcasses.

Sa tête

Sa tête est affublée d'un petit
duvet, sauf exception,
et très souvent déplumée.

Vautour de Rüppell

Son vol

En vol, il est tout aussi
majestueux qu'un aigle.
À la recherche d'une carcasse,
il peut demeurer en vol plané
durant des heures, décrivant
de grands cercles en profitant
des courants thermiques
ascendants.

À table !

Le vautour est un charognard
qui se repaît de viandes mortes
et de détritus variés… Il est le roi
du dépeçage. On dit que les vautours
ont un régime nécrophage.

*Ses pattes ne sont
pas préhensibles*

Ses pattes

N'ayant pas de moyen de préhension (le pouvoir de serrer et
de saisir des proies avec des doigts), les pattes du vautour sont
pourvues de griffes bien plus petites et de doigts beaucoup
moins forts que ceux de l'aigle.

Dans les pays chauds, ce charognard
a une réputation d'«éboueur»
de la nature. Très utile, il élimine les
carcasses avant qu'elles soient en état
de putréfaction. Il joue ainsi un rôle
bénéfique pour la santé des hommes
et du monde animal.

Et encore

ARACHNIDE
mygalomorphe

30 à 150 gr

1 à 10 cm

pour le corps

jusqu'à 30 cm

avec les pattes.

Longévité :
5 à 10 ans

Elle stridule

Arachnides

Les scorpions, mites, tiques font partie,
tout comme les araignées, des arachnides !
Mais qu'ont-ils en commun ?
Tout simplement, quatre paires
de pattes et un corps en deux parties
et en général un organe à venin
qu'on nomme chélicère.

Parce que souvent on nomme
« tarentules » les mygales,
il est facile les confondre !
Et pourtant…

Son venin

Les mygales injectent leur venin
à l'aide de leurs chélicères, sortes
de crochets situés près de la bouche.
La plupart de ces arachnides ne
disposent pas d'un venin assez puissant
pour mettre la vie de l'homme en danger.
Et qu'elle soit mygale ou tarentule,
elle ne pique pas, mais elle mord !

Sa silhouette

Quelle que soit la taille de l'espèce, le corps
de la mygale est imposant et ses pattes épaisses.
Ce mygalomorphe est vraiment très poilu,
jusqu'au bout des pattes ! Bien davantage
que la tarentule qui en paraît presque imberbe !

Son lieu de vie

Si la tarentule ne vit qu'en Europe
méridionale, des centaines d'espèces
de mygales sont présentes sur presque
tous les continents. Les plus imposantes
fréquentent les pays tropicaux,
comme la magnifique mygale mexicaine.

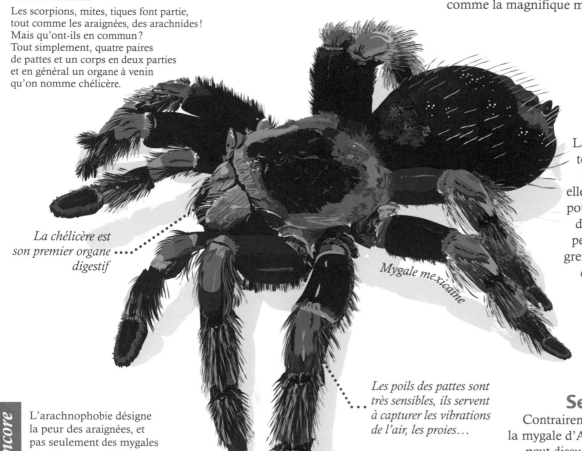

La chélicère est
son premier organe
digestif

Mygale mexicaine

Les poils des pattes sont
très sensibles, ils servent
à capturer les vibrations
de l'air, les proies…

À table !

La mygale est carnassière,
tout comme la tarentule.
Redoutable prédatrice,
elle use de sa force physique
pour immobiliser ses proies,
des insectes pour les plus
petites, mais aussi lézards,
grenouilles, oiseaux et même
des souris pour les plus
grosses !

Ses poils

Contrairement à la tarentule,
la mygale d'Amérique, bien velue,
peut dissuader un prédateur
en le « bombardant » de ses poils
urticants qu'elle aura grattés sur
son abdomen avec ses pattes.

Et encore

L'arachnophobie désigne
la peur des araignées, et
pas seulement des mygales
ou de la tarentule ! Elle est
l'une des phobies les plus
communes.

TARENTULE ?

ARACHNIDE
lycose

env. 60 gr
1,8 à 3 cm
Longévité :
3 à 10 ans

Sa silhouette

Même si la véritable tarentule ressemble un peu à une mygale, elle fait partie de la famille des lycoses. De taille plus modeste, on la considère tout de même comme la plus grande araignée de France ! Elle est aussi moins poilue que la mygale.

Ses yeux

La tarentule possède des yeux postérieurs dont la mygale est dépourvue.

Les yeux postérieurs

Son venin

Malgré des croyances populaires anciennes, la morsure de la tarentule est sans conséquences sérieuses pour l'homme. Mais comme la mygale, son venin ne laisse aucune chance à ses petites proies.

Lycosa tarentula

Son lieu de vie

Contrairement à Madame mygale, la tarentule ne vit qu'en Europe méridionale et jusqu'en Turquie.

Tarentelle

Autrefois, on pensait que la morsure d'une tarentule plongeait la personne dans un état de grande mélancolie. On avait donc imaginé un remède original : il fallait tout simplement danser la «tarentelle», une danse très rapide de la ville de Tarente, au sud de l'Italie. Drôle d'idée !

Son corps

Son céphalothorax (la partie arrière de son corps) est surélevé et souvent plus arrondi que celui de la mygale.

À table !

La taille de la tarentule n'excédant pas trois centimètres, ses proies sont plutôt des insectes ailés, des petits grillons ou des blattes. Rien à voir avec certaines mygales qui sont capables de dévorer… une souris !

Pour quelles raisons confond-on souvent les tarentules avec les mygales ? Tout simplement parce que, lorsque les colons européens ont découvert l'Amérique, ils ont découvert aussi de grandes araignées qui ressemblaient à celle, plus petite, qu'ils connaissaient déjà : la tarentule. Mais elles se sont finalement révélées être des araignées faisant partie d'une autre famille, celle des mygales. Néanmoins, les Anglo-Saxons continuent à les appeler «tarentula» !

Et encore

INSECTE
cicadidé

1,3 à 5 cm
Longévité :
2 à 6 semaines

Elle cymbalise
ou craquette

Son chant

Tsi-tsi-tsi, tsi-tsi-tsi… Comme le grillon,
c'est le mâle cigale qui chante.
Mais contrairement à cet insecte, il utilise
un organe phonatoire spécialisé qu'on
appelle les cymbales (comme l'instrument
de musique). Elles sont situées
dans son abdomen.

Sa silhouette

Grâce à ses longues ailes, la cigale
de la famille des cicadidés paraît
bien plus élégante que le grillon.

· · *Antennes courtes*

Sa tête

Sa tête est massive et
courte, contrairement à celle
du grillon qui est toute
ronde. Elle possède en plus
de ses deux yeux saillants,
trois faux yeux ou ocelles.
Ses antennes sont très
petites comparées
à celles du grillon.

Et encore

Une cigale africaine détient
le record de l'insecte le plus
bruyant de la planète, avec plus
de 106 décibels (mesure du son).
Aussi sonore qu'une tondeuse
à gazon !

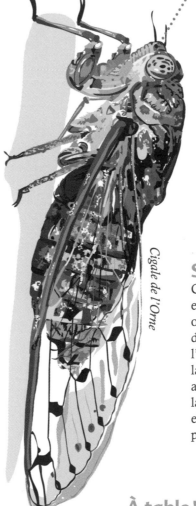

Cigale de l'Orne

Son lieu de vie

Cet insecte si bruyant passe la majorité
de sa vie vit sous terre à l'état larvaire,
entre 10 mois et près de 10 ans
pour certaines espèces ! Lorsqu'il sort
enfin à l'air libre, c'est pour se reproduire
et pondre ses œufs sur des herbes
au pied des arbres. Les cigales,
une fois formées, ne vivent qu'entre
deux et six semaines !

Ses ailes

C'est grâce aux ailes disposées
en forme de toit, transparentes
ou, suivant les espèces,
diversement colorées, que
l'on peut différencier facilement
la cigale du grillon. Lui n'en
a que de toutes petites de
la couleur de son corps, et
elle ne lui servent même
pas à voler !

À table !

La cigale adulte se rassasie
de la sève des troncs et
des branches des arbres sur lesquels
elle vit, à l'inverse du grillon qui,
lui, élit domicile au sol.

Et encore

La cigale est la reine du camouflage.
Ses couleurs correspondent à
son environnement. Lorsque l'on s'en
approche, elle s'immobilise et se confond
parfaitement avec l'écorce des arbres.

GRILLON ?

INSECTE
gryllidé

3 à 6 cm

**Longévité :
env. 1 an**

**Il craquette
ou stridule**

Ces deux insectes qui n'appartiennent pas à la même famille jouent les virtuoses pour séduire les femelles…

Sa silhouette

Le grillon est trapu et ramassé. On le reconnaît facilement grâce à ses antennes, bien plus longues que celles de Dame cigale.

Sa tête

La tête de cet insecte de la famille des gryllidés est presque sphérique.

Son chant

Cri-cri, cri-cri, cri-cri… Comme dans la famille cigale, seul le mâle adulte est le maître chanteur. Ses stridulations très répétitives peuvent porter jusqu'à 50 mètres ! Pour « chanter », contrairement à la cigale, le grillon doit frotter ses élytres (ailes antérieures dures) l'une contre l'autre. On les appelle l'archet et la chanterelle.

À table !

Si la cigale pompe la sève des arbres, le grillon est omnivore. Des végétaux et même de petits insectes font son délice.

Longues antennes ·····

Grillon champêtre

En Chine

Depuis plus de mille ans, le chant du grillon domestique est apprécié en Chine. Du temps de l'Empire chinois, les dames de la cour plaçaient ces insectes dans de petites cages dorées. Leurs chants facilitaient leur sommeil !

Élytres

À savoir

Devinez à quel endroit se trouve l'appareil auditif du grillon ? Comme chez les sauterelles, il se situe… dans les tibias des pattes antérieures. Drôle d'insecte, tout de même !

Son lieu de vie

À l'inverse de Dame cigale qui vit en hauteur, le grillon, suivant l'espèce, vit sur le sol à l'abri de quelques pierres, ou plus volontier dans un terrier qu'il creuse parfois jusqu'à 30 cm de profondeur.

Ses ailes

Si la cigale peut se déplacer en volant, la plupart des grillons en sont incapables. Les ailes antérieures, dures et résistantes, ne sont pas adaptées au vol. On les nomme élytres. Elles leur servent, entre autres, d'instrument de musique !

41

MAMMIFÈRE
cervidé

120 à 250 kg
2,20 m de long
1,10 m à l'épaule
**Longévité :
12 à 15 ans**

Il brame ou renâcle

Les cervidés sont les seuls mammifères à porter des bois. Ils sont recouverts de velours tout doux…

Sa silhouette
Avec son cou plus court et ses bois imposants, le renne paraît un peu disproportionné et beaucoup moins élégant que le cerf. Mais on l'aime beaucoup, c'est le coursier du Père Noël, tout de même !

Ses bois
Ce cervidé est le seul de cette famille dont la femelle porte, comme le mâle, des bois. Ceux du renne, proportionnellement à sa taille, sont beaucoup plus grands que ceux du cerf. Ils mesurent en moyenne 1,30 m de hauteur et pèsent près de 7 kg.

Son lieu de vie
Voilà un cervidé qui n'aime que les régions froides, et même le Grand Nord ! Amérique, Laponie et le nord de l'Asie. Ce qui n'est pas le cas du cerf qui opte pour des régions tempérées ou même chaudes.

La migration des rennes

En Amérique du Nord, les rennes se réunissent en nombre impressionnant pour fuir les chaleurs de l'été et rejoindre les régions plus froides du continent. Ils parcourront près de 3 000 km aller, et autant au retour. C'est la plus longue migration terrestre du monde animal.

Renne de Laponie

Et encore

Quelle différence y a-t-il entre un renne ou un caribou ? Aucune. On l'appelle comme-ci en Europe, et comme-ça en Amérique du Nord.

Et encore

Le renne est le symbole de la Laponie, en Finlande. Il n'est pas rare de le voir traverser les centres villes. Alors, à tous ceux qui souhaitent visiter le pays du Père Noël, attention aux accidents de la route !

À table !
Il broute de l'herbe et des écorces. Mais aussi du lichen qui est une nourriture très riche. En fermentant dans son corps, ce lichen va le réchauffer durant les longues périodes hivernales.

Ses sabots, presque aussi larges que longs, lui permettent de marcher dans la neige sans s'y enfoncer.

OU CERF ?

MAMMIFÈRE
cervidé

80 à 180 kg
1,50 à 2 m de long
1,60 m à l'épaule
**Longévité :
8 à 12 ans**

Il rée ou brame

Sa silhouette

Il existe plusieurs espèces de cerfs. Ceux que l'on connaît le mieux sont le cerf élaphe et le cerf de Virginie. Avec son corps puissant, ses longues et fines pattes et ses bois magnifiques, cet herbivore ruminant a noble allure. Sa silhouette est beaucoup plus équilibrée que celle du renne.

Son lieu de vie

À l'inverse du renne, le cerf vit sur la plupart des continents, sauf en Antarctique. Il a été introduit en Nouvelle-Zélande, mais est devenu indésirable car, n'ayant pas de prédateur, il s'y est beaucoup (trop) développé.

Ses bois

Contrairement au renne, seul le mâle possède des bois. La taille de ceux-ci annonce aux autres le rang social du cerf. Ils sont un moyen d'intimidation au moment du rut.

Les andouillers sont les ramifications des bois. Grâce à eux on peut connaître l'âge de l'animal !

Cerf élaphe

Et encore

MAMMIFÈRE
mysticète

env. 150 tonnes
25 à 32 m
**Longévité :
jusqu'à 110 ans**

Elle chante

Mysticètes ou odontocètes ?

Les baleines sont divisées en deux familles. Les mysticètes qui ont une mâchoire avec des fanons comme la baleine bleue ou la baleine à bosse et les odontocètes, celles qui ont des dents comme le cachalot, les dauphins, les marsouins et qui représentent 90 % des cétacés.

Ces mammifères marins sont tous les deux des baleines! Mais l'un chasse, l'autre pas.

BALEINE *ou*

Sa silhouette

La baleine bleue est bien reconnaissable grâce à sa silhouette fuselée, sa tête plate et son petit aileron dorsal en forme de croissant situé très en arrière du dos.

À table !

La baleine ne chasse pas comme le cachalot, mais filtre à l'aide de ses fanons jusqu'à 1 000 litres d'eau en une fois ! Elle n'en retient que le plancton et le krill (minuscules crevettes). Elle peut en absorber près de 4 tonnes par jour.

Sa tête

Contrairement à la tête plutôt carrée du grand cachalot, celle de la baleine bleue est large et plate. Sa gorge est striée de replis cutanés, dans le sens de la longueur, qui lui permettent de s'agrandir lorsqu'elle avale d'énormes quantités d'eau.

Son lieu de vie

On retrouve la baleine bleue dans toutes les mers du monde. Grande migratrice, elle rejoint en été les mers froides polaires où la nourriture est abondante. L'hiver, elle se reproduit dans les mers tropicales et subtropicales.

Baleine bleue

Ses fanons

Ces sortes de lames cornées sont ancrées dans la mâchoire supérieure. Mesurant près d'un mètre de hauteur et au nombre impressionnant (entre 260 et 400), les fanons servent à filtrer l'eau de mer.

Et encore

La baleine bleue est protégée depuis 1967, mais certains pays continuent de la chasser… On craint qu'elle ne soit en voie d'extinction.

Sa taille

Ce mammifère marin est plus grand d'une dizaine de mètres que le cachalot et pèse 70 tonnes de plus… C'est tout simplement le plus grand animal au monde !

CACHALOT ?

MAMMIFÈRE
ondotocète

35 à 80 tonnes
15 à 20 m
Longévité :
env. 70 ans

Il émet des cliquetis,
appelés « codas »

Sa silhouette
Avec son museau carré, le grand cachalot
semble plus robuste que la baleine bleue.
Avec ses 20 mètres de long et ses 70 tonnes,
il est plus petit qu'elle… mais reste tout de même
le plus grand cétacé à dents !

Sa tête
Sa tête énorme peut représenter
un tiers de l'animal !
Son gros museau,
carré et proéminent,
se nomme le melon.

Grand cachalot

······· *Le melon*

Sa peau
Sa peau gris sombre a un aspect fripé,
à l'inverse de celle de la baleine bleue
qui est toute lisse. On y voit
des cicatrices laissées par des combats,
et même des marques de ventouses
de calamars géants !

Son lieu de vie
Les cachalots vivent généralement dans
les profondeurs des eaux chaudes équatoriales,
tropicales et subtropicales. Mais les mâles
semblent s'aventurer aussi vers les mers
froides des pôles.

Ses dents
Contrairement à la baleine bleue,
cet odontocète n'a pas de fanons, mais
une cinquantaine de dents enracinées
dans sa mâchoire inférieure. Elles peuvent
mesurer près de 20 cm et peser un kilo
chacune. Attention à la morsure !

Le melon
Le melon renferme
une graisse liquide appelée
spermaceti ou blanc
de baleine. Cette substance
lui est fort utile pour plonger
ou flotter sans effort !

À table !
Pour chasser les céphalopodes, ce plongeur émérite descend
loin au-dessous du niveau des eaux. Parfois à plus de 3 000 m
de profondeur pour se délecter des calamars géants des grands
fonds ! Il peut aussi se contenter de poissons, de requins
ou de phoques. Il a besoin de près de 2 tonnes de nourriture par jour.

OISEAU
hirundinidé

15 à 25 gr
12 à 19 cm de long
30 à 35 cm d'envergure
**Longévité :
2 à 4 ans**

Elle gazouille,
ou trisse

Migrations

Les hirondelles sont de grandes migratrices. Les espèces qui nichent dans les régions froides peuvent parcourir des milliers de kilomètres pour gagner les régions plus chaudes où elles retrouveront de la nourriture. Les espèces tropicales sont sédentaires.

Ses ailes

Il est plus facile de différencier ces deux oiseaux migrateurs lorsqu'ils sont dans les airs. En vol, les longues ailes déployées de l'hirondelle sont en forme de croissant, quand celles du martinet ressemblent à une faucille. Comme lui, elle attrape les insectes en vol.

Hirondelle de cheminée

HIRONDELLE

Sa silhouette

La silhouette de l'hirondelle est très similaire à celle du martinet, mais elle est plus petite que lui. Sa queue est plus découpée que la sienne.

Ses pattes

Ses pattes courtes aux pieds faibles lui permettent tout de même de se percher et de marcher, mais d'un pas traînant. On voit souvent les hirondelles posées sur des fils électriques, en petites bandes, avant leur migration.

Son lieu de vie

Suivant les espèces, les hirondelles colonisent les falaises (dans lesquelles elles creusent un terrier), les bâtiments, habitations, trous d'arbres, grottes… Europe, Asie, Amérique, Afrique, la plupart des continents les connaissent !

Ils évoluent souvent ensemble dans le ciel, se ressemblent énormément, dévorent les insectes… mais ne font pas partie de la même famille.

À table !

L'hirondelle est insectivore et cherche ses proies en vol, mais aussi sur les murs, sur les plantes et à la surface de l'eau.

OU MARTINET ?

OISEAU
apodidé

38 à 45 gr
12 à 25 cm de long
45 à 48 cm
d'envergure
**Longévité :
jusqu'à 20 ans !**

Sa silhouette

Cet oiseau de la famille des apodidés ressemble beaucoup
à une hirondelle. Mais plus que la silhouette, c'est par les cris
stridents qu'il émet lorsqu'il est en vol que l'on peut
le reconnaître. Les hirondelles sont beaucoup plus discrètes,
elles ne font que gazouiller !

Son lieu de vie

Le ciel est son territoire. De l'Europe à l'Amérique,
le martinet vit dans la plupart des régions du monde
à l'exception des zones polaires, du sud du Chili
et de l'Argentine, et d'une grande partie de l'Australie.
Espèce très commune, le martinet noir affectionne
particulièrement les villes et villages.

À table !

Le martinet se nourrit d'insectes
en vol, qu'il va chercher
jusqu'à 1 000 m d'altitude.

Les martinets sont les surdoués
des airs. Le martinet noir y passe
presque toute sa vie. Il est capable
de se nourrir, de s'accoupler
et de dormir en vol ! Lorsqu'il
niche, il retrouve tout de même
la terre ferme.

Martinet noir

*Les ailes en forme
de boomerang*

Ses ailes

Remarquablement longues, effilées
et arquées vers l'arrière, elles ressemblent
à un boomerang ou à une faucille,
alors que celles de l'hirondelle sont
moins grandes et moins ouvertes.

Ses pattes

Ses pattes sont encore plus courtes que celles
de l'hirondelle. Les serres pointues lui permettent
tout juste de s'agripper à des surfaces verticales.
Savez-vous qu'un martinet qui se poserait
sur un sol plat ne pourrait s'envoler à nouveau ?

Taillés pour la vitesse et
la haute voltige, les martinets
peuvent atteindre des records
de vitesse. Le martinet géant
ou le martinet à gorge blanche
peuvent voler à près
de 300 km/h !

Et encore

47

MAMMIFÈRE
phocidé

120 à 4 000 kg
1,20 à 6 m
Longévité :
env. 30 ans

**Il bêle, grogne
ou rugit**

Sa silhouette
Même si ce mammifère marin de la famille des phocidés, au corps en forme de torpille, ressemble fort à l'otarie, il est plus gros et son cou est plus court. Au sol, le phoque s'étend de tout son long, à l'inverse de l'otarie qui se tient dressée.

À savoir
L'éléphant de mer du sud est le plus grand phoque au monde. Il peut peser près de 4 tonnes et mesurer jusqu'à six mètres ! Le mâle dominant possède des narines très développées en forme de trompe, d'où son nom ! Grand voyageur, il fréquente les mers australes jusqu'à l'Antarctique.

Son lieu de vie
Ce grand prédateur aquatique aime les mers froides. Surtout lorsqu'elles sont polaires. Brrr ! Mais quelques espèces fréquentent aussi les mers chaudes ou tempérées, comme le phoque moine qui vit à Hawaï ou dans les Caraïbes.

Ses oreilles
Voilà la grande différence entre ces deux mammifères, c'est que les oreilles du phoque ne se voient pas car elles n'ont pas de pavillon externe !

Phoque gris

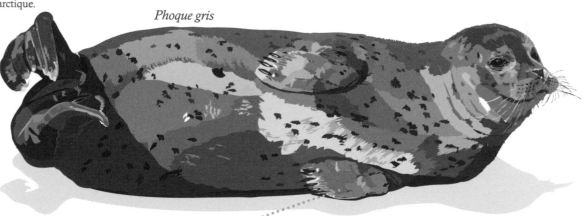

Ses membres ne lui permettent pas de se relever.

Pinnipèdes
Les pinnipèdes, au corps fusiforme, sont des mammifères marins, carnivores et grands prédateurs. Leurs pattes sont modifiées en sortes de nageoires. Il en existe une trentaine d'espèces, dont le morse. Maladroits sur terre, les pinnipèdes sont d'excellents plongeurs. La médaille de plongée est décernée au phoque de Wedell qui descend régulièrement à 500 m de profondeur !

À table !
Le phoque adore le poisson, mais il ajoute à son régime alimentaire un peu de crevettes ou du krill (minuscules crevettes). Certains d'entre eux, comme le léopard des mers, dévorent aussi les manchots !

Ses membres
Contrairement à l'otarie, les membres postérieurs du phoque sont munis de griffes qui ne lui servent qu'à nager. Il n'a pas la possibilité de replier cette sorte de grosse palme sous lui pour se redresser et se déplacer sur la terre ferme. Le voilà donc condamné à ramper !

OTARIE ?

Sa silhouette

L'otarie est plus gracieuse que le phoque, surtout lorsqu'elle déambule sur la terre ferme. Elle se tient presque droite et son cou est plus long. Elle est aussi plus petite, même si le lion de mer, la plus grande des espèces d'otaries, mesure jusqu'à 3 mètres et pèse près d'une tonne !

Ses membres

Pour nager, elle utilise ses membres antérieurs comme de larges palmes. Ses membres postérieurs sont reliés pour former une sorte de queue. Mais contrairement à ceux du phoque, l'otarie peut les replier sous le corps, ce qui lui permet de se redresser et de se déplacer bien plus aisément.

Ses oreilles

Si le phoque n'a pas d'oreilles visibles, l'otarie porte sur sa tête au museau pointu de jolies petites oreilles externes. D'ailleurs otarie vient du grec *otarion* qui signifie… «petite oreille» !

L'un de ces deux pinnipèdes jongle aves des ballons dans les cirques. Mais lequel ?

À table !

L'otarie est piscivore : elle mange des poissons. Elle se nourrit aussi de calamars et autres invertébrés et même, pour certaines espèces, de manchots qu'elle capture sous l'eau. Elle peut consommer chaque jour l'équivalent du quart de son poids !

MAMMIFÈRE
otariidé

60 à 1000 kg
1,50 à 3 m
**Longévité :
18 à 25 ans**

Elle bêle, grogne ou rugit

Phoques et otaries sont les proies de gros carnivores comme les requins, les ours polaires et certaines baleines à dents.

Son lieu de vie

Plus d'une quinzaine d'espèces d'otaries vivent dans les mers et océans du monde, sauf dans l'Atlantique Nord. Et certaines font la joie des enfants dans les cirques !

L'otarie à fourrure du Nord, ou ours de mer, est un pinnipède qui a été chassé pour sa belle fourrure du XVIIIe au XXe siècle. Cette activité commerciale est désormais interdite.

Le pavillon auditif est visible

Otarie de Californie

MAMMIFÈRE
castoridé

15 à 35 kg
80 à 130 cm
(avec la queue)
Longévité :
10 à 15 ans

L'un de ces deux grands rongeurs est un vrai bâtisseur, l'autre est le roi des galeries souterraines…

Sa silhouette
Ce castoridé, qu'il soit du Canada ou européen, est bien plus massif et plus lourd que le ragondin. Il est aussi le plus grand rongeur européen.

Son lieu de vie
Même si ces deux rongeurs ont élu domicile près des cours d'eau, ils n'ont pas la même activité ! Le castor est plus à l'aise dans l'eau qu'au sol. On le trouve sur les berges peuplées d'arbres au bois tendre de certaines régions d'Europe, de Chine et d'Amérique du Nord.

Les barrages
Contrairement au ragondin qui ne fait que creuser les rives, le castor est un bâtisseur de barrages. Entassant pêle-mêle des branches et des mottes d'herbes, des pierres et de la boue, il construit des ouvrages étanches et très résistants. Ses grandes incisives lui servent à abattre les arbres. Ses barrages peuvent atteindre des dimensions colossales.

Sa queue
C'est la queue qui fait la grande différence entre ces deux rongeurs semi-aquatiques ! Celle du castor est large et plate comme une pelle. Dépourvue de poils et écailleuse, elle lui sert de propulseur et de gouvernail. Elle peut atteindre 40 cm de long.

Castor du Canada

Sa queue est plate et écailleuse

À table !
Végétarien, le castor adore les jeunes pousses de saules et les peupliers pour leurs écorces, feuilles, rameaux et racines. Dans les plans d'eau qu'il crée, il peut emmagasiner jusqu'à 80 m³ de nourriture. De quoi sustenter toute la famille !

Et encore

Chassé durant des décennies pour sa viande et sa belle fourrure, ce rongeur est aujourd'hui un animal protégé dans plusieurs régions du monde. Lorsque le castor réapparaît dans certains sites, il y fait revenir tout un écosystème qui avait disparu !

RAGONDIN ?

MAMMIFÈRE
myocastoridé

5 à 9 kg
65 à 100 cm
(avec la queue)
**Longévité :
env. 5 ans**

Sa silhouette

Plus petit que le castor, sa silhouette est presque identique. C'est par sa queue qu'il s'en distingue. Le ragondin est un très bon nageur qui pourrait aussi ressembler à un gros rat d'eau.

Sa queue

Autant la queue du castor est plate et large, autant celle du ragondin est longue et effilée. Par contre, elle est tout aussi écailleuse. Ce rongeur originaire des régions tropicales supporte mal le froid : sa queue peut geler et entraîner sa mort !

Castoridés ou myocastoridés ?

Dans la famille des castoridés, il n'existe que deux espèces : le castor du Canada et le castor européen (fiber). Chez les myocastoridés il n'y a qu'un représentant : le ragondin qu'on appelle aussi myocastor !

Ragondin

Son lieu de vie

Originaire des marécages d'Amérique du Sud, il vit dans différentes régions comme l'ouest des États-Unis et en Europe. Il a élu domicile près des marais, des lacs et des rivières plutôt tranquilles. C'est un champion de galeries souterraines creusées dans les berges.

La queue du ragondin ressemble à une queue de rat.

À table !

Le ragondin se nourrit principalement de plantes aquatiques, de racines, d'herbes et de céréales comme le maïs ou le blé. Mais il n'a rien contre une bouchée de moules d'eau douce !

À l'inverse du castor, le ragondin est rarement le bienvenu dans certaines régions du monde, comme en France ou aux États-Unis où il est considéré comme nuisible. On l'accuse de démolir les berges des pièces d'eau où il vit, de chaparder les céréales des champs cultivés, etc.

Et encore

MOLLUSQUE
céphalopode

8 à 180 kg

25 cm à 9 m

**Longévité :
de 6 mois à 3 ans**

PIEUVRE *ou*

Son corps

Il paraît flasque car dépourvu d'ossature,
à la différence du calamar. Ce que l'on pourrait
prendre pour une tête avec un gros nez est,
en réalité, son corps que l'on appelle manteau.
À l'intérieur se trouvent tous ses organes vitaux.

Sa silhouette

La pieuvre paraît beaucoup
plus molle et plus ronde que
le calamar. Elle possède
des bras, ou tentacules,
disposés en cercle.

Céphalopode

Céphalopode signifie en grec :
«pieds sur la tête». Il est vrai que
lorsqu'on observe ces mollusques,
on ne voit rien d'autre qu'une
sorte de tête toute molle posée
sur des jambes !

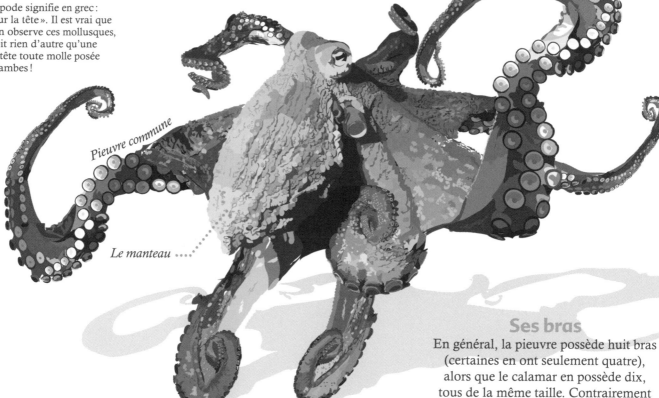

Pieuvre commune

Le manteau ......

Son lieu de vie

La pieuvre est casanière et solitaire.
Une cavité dans un rocher dans
les profondeurs des mers tropicales et
tempérées, et hop, son logis est trouvé !

Ses bras

En général, la pieuvre possède huit bras
(certaines en ont seulement quatre),
alors que le calamar en possède dix,
tous de la même taille. Contrairement
au calamar, ses bras possèdent
deux rangées de ventouses sur
toute leur longueur. Ils servent
à sentir et à goûter.

À table !

En boulottant goulûment crabes, langoustes,
écrevisses et toutes sortes de mollusques, la pieuvre
peut doubler son poids presque tous les trois mois !

Et encore

Quelle différence entre
un poulpe et une pieuvre ?
Il n'y en a pas, c'est le même
animal !

52

CALAMAR ?

MOLLUSQUE
céphalopode

100 gr à 250 kg
60 cm à 6 m
**Longévité :
1 à 3 ans**

Ces deux céphalopodes cracheurs d'encre cachent leur grande différence sous leurs manteaux…

Sa silhouette

Très différent de celui de la pieuvre, le corps du calamar est longiligne, presque cylindrique. Il paraît bien plus hydrodynamique.

À table !

Poissons, crustacés et mollusques sont ses mets favoris. Les petits calamars se nourrissent de plancton animal.

Son corps

Grâce à une sorte de coquille interne, tel un squelette, qu'on appelle la plume, le calamar a cette forme allongée beaucoup plus rigide que la pieuvre.

Ses bras

La pieuvre a huit bras, mais le calamar peut mieux faire ! Huit bras aussi, presque tous de la même longueur, et deux supplémentaires, plus longs, qu'on nomme tentacules.

Malins !

Pieuvres et calamars possèdent une poche d'encre qui ne leur sert pas à écrire, mais à échapper à leurs ennemis. En expulsant cette substance noirâtre par de petits jets, ils dissimulent leur fuite derrière ce brouillard opaque.

Calamar

···· Le manteau

Géants

On a retrouvé, échoués sur des plages, des calamars mesurant plus de 20 m et pesant près de 350 kg. Pour avoir découvert dans un estomac de cachalot des tentacules de très grande taille, les scientifiques pensent qu'il pouvait s'agir d'une espèce de calamar mesurant près de 50 m de long !

Son lieu de vie

Le calamar qui évolue en pleine mer et qui est beaucoup moins timide que la pieuvre peut effectuer des migrations en se déplaçant en grand nombre.

Les deux grands tentacules servent à capturer les proies.

Quelles différences entre le calamar, qu'on peut appeler aussi calmar, et l'encornet ? Il n'y en a aucune, c'est le même céphalopode !

Et encore

REPTILE
vipéridé

60 gr à 5 kg
50 cm à 2 m
**Longévité :
6 à 15 ans**

Elle siffle

Sa tête

Si l'on regarde la tête du dessus, on voit qu'elle est vraiment distincte de son corps. Elle s'élargit en un triangle très prononcé, alors que celle de la couleuvre, plus arrondie, est en continuité de son corps. La vipère a deux ou trois rangées d'écailles entre l'œil et la bouche. Son museau est relevé.

Sa silhouette

En général, la vipère est plus trapue que la couleuvre, sa queue est aussi plus courte. Ce vipéridé est souvent plus petit que les colubridés (famille des couleuvres).

Le venin

Il faut savoir que la vipère est un serpent venimeux, dangereux pour de nombreuses espèces dont l'homme fait partie !

Vipère péliade

Et encore

La vipère du Gabon est le plus grand des vipéridés. Elle mesure près de 2 mètres. Elle est aussi la plus lourde avec ses 5 kg ! Elle détient un autre record, celui des plus longs crochets qui mesurent 5 cm !

Ses yeux

On dit que c'est l'œil qui fait la différence entre ces serpents. La vipère possède une pupille fendue à la verticale, comme celle d'un chat, au contraire de celle de la couleuvre, toute ronde !

La pupille est fendue à la verticale

Son lieu de vie

Autant les couleuvres ont colonisé presque tous les continents, autant les vipères habitent principalement l'Afrique, l'Europe et l'Asie.

Ses crochets

Contrairement à la couleuvre, la vipère possède des crochets redoutables ! Situés à l'avant de ses mâchoires, ils communiquent directement avec ses glandes à venin. Lorsque la bouche est fermée, ils s'inclinent vers l'arrière. Quand la vipère mord, elle ouvre la bouche et les crochets basculent en avant. Ils agissent alors comme de puissantes seringues.

Et encore

« Langue de vipère » se dit d'une personne qui dit volontiers du mal des autres.

COULEUVRE ?

Sa silhouette

La couleuvre est en général plus longue que la vipère, plus élancée aussi ! C'est un très joli serpent à la queue effilée.

Pour faire la différence entre ces deux serpents, il faut être observateur, mais surtout très prudent. Mieux vaut les voir en photo !

REPTILE
colubridé

100 gr à 2,5 kg
20 cm à 3 m
Longévité :
10 à 15 ans

Elle siffle

Son lieu de vie

La couleuvre est présente sur presque tous les continents, sauf l'Antarctique ! On la rencontre dans différents milieux comme sur la terre ou dans l'eau.

Couleuvre léopard

Œil à pupille ronde

Sa tête

La tête de la couleuvre, qui s'évase légèrement dans le prolongement de son corps, semble cuirassée avec ses larges plaques écailleuses.

Larges plaques écailleuses

Ses yeux

Les pupilles de la couleuvre sont rondes. Mais comme toujours, il y a des exceptions ! La couleuvre chat, par exemple, possède des pupilles très semblables à celles de la vipère !

Le venin

Contrairement aux vipères, les colubridés ne sont pas, en général, venimeux. En Europe, trois espèces seulement possèdent un venin. Mais elles n'ont pas, comme les vipères, les crochets nécessaires qui leur permettent de l'inoculer au moment de la morsure.

Quelle comédienne !

Lorsque la couleuvre à collier se sent menacée, elle éjecte un liquide nauséabond. Et l'utilise pour jouer la comédie… en faisant la morte ! Elle s'étend immobile, gueule grande ouverte comme si elle était inanimée. Le prédateur pense alors que le serpent est mort depuis plusieurs jours et s'en va !